D0533890

PRÉSENTATION

*"Eastwood, Dunkeld
4 septembre 1893*

*Mon cher Noël,
Je ne sais pas quoi t'écrire, alors je vais te raconter
l'histoire de quatre petits lapins qui s'appelaient
Flopsaut, Trotsaut, Queue-de-Coton et Pierre..."*

Voici comment est né Pierre Lapin, le premier d'une portée d'une vingtaine de petits livres, faciles à prendre dans la main. Des générations d'enfants les ont manipulés, avant même de savoir lire, pour se les faire raconter. Ils y sont entrés aussi facilement que le jeune Noël à qui s'adressait Beatrix Potter.

A presque cent ans de là, les images gardent toute leur fraîcheur et une vérité qui tient à une observation scrupuleuse, une précision de naturaliste. La transparence de l'aquarelle rend sensibles la rondeur chaude et palpitante des petits ventres des lapins exposés innocemment, la drôlerie naturelle des vêtements ajustés. Les intérieurs encombrés et chaleureux s'opposent aux vastes espaces sereins, —l'Angleterre des lacs ; entre les deux, l'univers des hommes existe parfois, avec ses dangers pour les petits animaux. Le regard profondément attentif de Beatrix Potter restitue l'étonnement et l'émerveillement des découvertes enfantines.

Fidèles à leur nature animale, les personnages de cet univers incarnent les sentiments élémentaires et forts qui rencontrent un écho chez les petits d'hommes.

Beatrix Potter a aussi travaillé son texte pour qu'il soit toujours plus simple, naturel et direct. Chaque mot porte sa charge de sensations : sons, odeurs, impression de mouvement donnée tant par le rythme vif du texte que par l'image.

La simplicité de Beatrix Potter n'est ni condescendante, ni moralisante. Elle disait : *"Je n'invente pas, je copie. J'écris pour mon propre plaisir, jamais sur commande."*

Ses petits animaux affairés et pourtant disponibles vivent dans un monde où l'on se sent toujours invité.

Geneviève Patte
7 mai 1980

Le Tailleur de Gloucester

Beatrix Potter

FREDERICK WARNE
in association with
Gallimard

*Pour réaliser cette édition, les techniques de photogravure
les plus en pointe ont été utilisées, directement à partir des
aquarelles originales de Beatrix Potter, et non comme pour
les éditions antérieures, à partir de plaques usagées. Ce
procédé permet pour la première fois d'apprécier l'œuvre
de l'artiste avec une fraîcheur et une vérité jamais
atteintes même de son vivant.*

FREDERICK WARNE
in association with Editions Gallimard

Published by the Penguin Group
27 Wrights Lane, London W8 5TZ, England
Viking Penguin Inc., 40 West 23rd Street, New York, New York 10010, USA
Penguin Books Australia Ltd, Ringwood, Victoria, Australia
Penguin Books Canada Ltd, 2801 John Street, Markham, Ontario, Canada L3R 1B4
Penguin Books (NZ) Ltd, 182-190 Wairau Road, Auckland 10, New Zealand

Penguin Books Ltd, Registered Offices: Harmondsworth, Middlesex, England

Original title: The Tailor of Gloucester, 1903
First published in this translation by Editions Gallimard, 1980
This edition first published 1990

Colour reproduction by
East Anglian Engraving Company Ltd, Norwich
Printed and bound in Great Britain by
William Clowes Limited, Beccles and London

Ma chère Freda,

*P*uisque tu aimes tant les contes
de fées et que tu as été malade,
j'ai écrit pour toi toute seule une
histoire que personne n'a encore
jamais lue.

Ce qui est singulier, c'est que j'ai
entendu raconter cette histoire dans
le comté de Gloucestershire et
qu'elle est vraie, tout au moins en ce
qui concerne le tailleur, le gilet et le
fil de soie couleur cerise.

Noël 1901

LE TAILLEUR DE GLOUCESTER

Au temps des épées, des perruques et des longues redingotes ornées de rubans, au temps où les gentilshommes portaient des jabots de dentelle et des gilets de soie passementée d'or, en ce temps-là, dis-je, il y avait dans la ville de Gloucester un tailleur.

Du matin au soir, il restait assis sur une longue table, jambes croisées, devant la fenêtre de son atelier.

Tout au long du jour, tant qu'il y avait de la lumière, il coupait et cousait ses étoffes de satin, de pompadour ou de lustrine. Les tissus avaient des noms étranges en ce temps-là et ils coûtaient très cher.

Mais bien qu'il confectionnât de beaux habits de soie pour de riches clients, lui-même était très pauvre. C'était un petit homme âgé, aux doigts noueux, le visage maigre, portant lunettes et toujours vêtu d'un viel habit usé jusqu'à la corde.

Il coupait ses étoffes au plus près, sans rien en perdre. Il ne restait sur sa table que de toutes petites chutes « de tout petits morceaux, tout petits, tout juste bons à faire des gilets pour les souris », avait-il coutume de dire.

Un jour de grand froid, aux alentours de Noël, le tailleur reçut commande d'un habit – un bel habit de soie couleur cerise, brodé de pensées et de roses avec gilet assorti de satin crème orné de gaze et

de chenilles vertes – et cet habit était destiné au maire de Gloucester.

Tout le jour, sans relâche, le tailleur travailla. Il mesurait la soie, la tournait, la retournait et la coupait avec ses grands ciseaux. La table était couverte de petits morceaux de soie couleur cerise.

« Tout petits et coupés en biais. Tout petits petits, juste de quoi faire des étoles et des rubans pour les souris ! Servez-vous, petites souris ! » marmonnait le tailleur de Gloucester.

La neige vint à tomber et se colla contre les vitres de la fenêtre. La lumière déclinait et le petit tailleur avait fini son travail de la journée. La soie et le satin étaient disposés sur la table, bien coupés, prêts à être assemblés.

Il y avait douze coupons pour l'habit et quatre pour le gilet. Le tailleur avait également préparé les revers de poche, les manchettes et les boutons et tout était soigneusement rangé sur la table. Il y avait du taffetas jaune pour la doublure de l'habit et du fil de soie rouge pour les boutonnières du gilet. Il ne restait plus qu'à coudre tout cela dès le lendemain. Tout était fin prêt, et seule manquait une bobine de fil de soie couleur cerise pour la dernière boutonnière.

Le tailleur sortit de son échoppe à la tombée du jour, ferma soigneusement portes et fenêtres, et rangea la clé dans sa poche. La nuit, il n'y avait personne dans son atelier sauf quelques souris qui

n'avaient pas besoin de clés pour aller où bon leur semblait.

Car dans toutes les vieilles maisons de la ville de Gloucester, il y avait derrière les boiseries de petits escaliers, des trappes minuscules et d'étroits passages que les souris empruntaient tout à loisir. Elles pouvaient ainsi parcourir toute la ville, de maison en maison, sans avoir jamais à mettre le nez dehors.

Le tailleur, donc, s'en retournait chez lui, marchant à petits pas dans la neige épaisse. Il n'habitait pas très loin de son atelier, dans une petite rue proche du collège. Mais il était si pauvre qu'il louait seulement la cuisine de la maison où il vivait.

Il habitait là tout seul avec pour toute compagnie son chat, un matou nommé Simon.

Tout au long de la journée, tandis que son maître était au travail, Simon gardait la maison. Lui aussi aimait les souris, mais il ne leur offrait jamais de satin pour se vêtir !

« Miaou, miaula le chat lorsque le tailleur ouvrit la porte.

– Simon, répondit le tailleur, nous serons bientôt riche, mais pour l'instant, je suis épuisé. Prends ces quatre sous, Simon – ce sont mes derniers – et un pot de faïence puis va acheter pour un sou de pain, du lait pour un autre sou, avec le troisième sou des saucisses, et avec le dernier sou, Simon, tu m'achèteras une

petite bobine de fil de soie couleur cerise. Surtout, ne perds pas le dernier sou, Simon, autrement je suis perdu, car JE N'AI PLUS ASSEZ DE FIL. »

Simon miaula une nouvelle fois puis, prenant les quatre sous et le pot, il sortit et disparut dans la nuit.

Le tailleur était exténué et ne se sentait pas bien. Il s'assit près de l'âtre et se mit à parler tout seul de l'habit magnifique qu'il était en train de faire.

« Je vais être riche, disait-il, le maire de la ville se marie le jour de Noël et il m'a commandé un habit et un gilet brodé – qui sera doublé de taffetas jaune – j'ai juste assez de taffetas. Il n'en reste que de toutes petites chutes juste bonnes pour faire des gilets de souris. »

Le tailleur s'interrompit car il entendit soudain une série de petits bruits de l'autre côté de la cuisine. « *Tip tap tip tap tip tap...* »

« Qu'est-ce que cela peut être ? » se demanda-t-il. Le buffet était encombré d'assiettes et de pots en faïence, de tasses et de gobelets.

Le tailleur traversa la cuisine et debout devant le buffet, attentif au moindre bruit, il se pencha et observa la vaisselle à travers ses besicles. Alors, les mêmes petits bruits se firent à nouveau entendre. Ils provenaient, semblait-il, d'une tasse à thé. « *Tip tap tip tap tip tap...* »

« Voilà qui est étrange », dit le tailleur. Il souleva la tasse, qui était posée à l'envers.

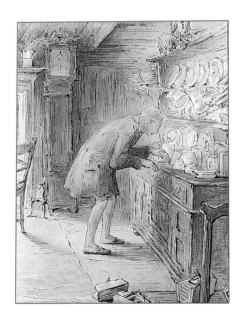

Une jolie petite souris apparut qui fit une révérence au tailleur. Puis elle sauta du buffet et s'enfuit derrière les boiseries.

Le tailleur retourna s'asseoir auprès du feu pour réchauffer ses mains glacées. Il grommelait dans sa barbe.

« J'ai choisi pour le gilet un riche satin couleur pêche et j'y ai brodé des boutons de roses dans le plus beau des fils de soie... Ai-je bien fait de confier mes quatre derniers sous à Simon ?... Vingt et une boutonnières brodées de soie rouge cerise... »

Soudain, il fut interrompu par d'autres petits bruits en provenance du buffet. « *Tip tap tip tap tip tap...* »

« Voilà qui est extraordinaire », dit le

tailleur. Et il retourna une autre tasse à thé. Une élégante petite souris en redingote en sortit et fit également une révérence. Puis, de tout le buffet, s'éleva un véritable concert de petits bruits qui se répondaient les uns aux autres. « *Tip tap tip tap tip tap...* »

Alors, de chaque tasse, de chaque bol, de chaque écuelle sortirent d'autres petites souris qui sautèrent du buffet et disparurent derrière les boiseries.

Le tailleur revint s'asseoir devant le feu et commença à se lamenter.

« Vingt et une boutonnières brodées de soie rouge cerise qu'il faut avoir fini de coudre samedi à midi, et nous sommes mardi soir.

« Ai-je eu raison de laisser fuir toutes

ces souris ? C'est sûrement Simon qui les avait enfermées là... Hélas, je suis perdu, je n'ai plus de fil de soie couleur cerise. »

Les petites souris étaient revenues. Elles écoutèrent les plaintes du tailleur après l'avoir entendu décrire l'habit magnifique destiné au maire. En chuchotant, elles parlèrent de la doublure de taffetas et des petites chutes que le tailleur laissait aux souris.

Puis, toutes ensemble, elles s'engouffrèrent dans le passage dissimulé derrière les boiseries. Elles poussaient de petits cris et s'appelaient les unes les autres, courant de maison en maison.

Il n'y avait plus une seule souris dans la cuisine du tailleur lorsque Simon revint avec son pot de lait.

Dès qu'il eut ouvert la porte, le chat bondit à l'intérieur en grondant : « Miaou... Grrr... Miaou... »

Il était de fort mauvaise humeur, car il détestait la neige et de la neige il en avait dans les oreilles et dans le cou. Il déposa les saucisses et la miche de pain sur le buffet et se mit à renifler.

« Simon, dit le tailleur, où est mon fil de soie ? »

Mais Simon, sans répondre, posa le pot de lait sur le buffet et regarda les tasses d'un air soupçonneux. Il avait bien l'intention de s'offrir une bonne souris bien grasse pour son souper.

« Simon, répéta le tailleur, où est mon fil de soie ? »

Simon ne répondit toujours pas. Il

cacha discrètement un petit paquet dans une théière puis se mit à cracher et à gronder en regardant son maître. S'il avait pu parler, sans doute aurait-il demandé : « Où sont mes souris ? »

« Hélas, je suis perdu, dit le tailleur », et il alla se coucher, tristement.

Pendant toute la nuit, Simon fouilla partout dans la cuisine, inspectant les placards, les boiseries et même la théière où il avait caché le fil de soie. Mais nulle part il ne trouva la moindre souris.

Et chaque fois que le tailleur parlait ou marmonnait dans son sommeil, Simon grondait, comme ont l'habitude de le faire les chats la nuit.

Le vieux tailleur, en fait, était très malade. Il avait la fièvre, s'agitait et se retournait dans son lit, grommelant sans cesse : « Il me manque une bobine, plus de fil de soie… »

Le lendemain, il fut malade toute la journée et le resta les deux jours suivants. Et l'habit rouge cerise ? Qu'allait-il devenir ? Dans l'atelier du tailleur, la soie brodée et le satin étaient toujours posés sur la table, soigneusement taillés. Qui donc viendrait les coudre ensemble ? Qui donc broderait les vingt et une boutonnières ? Personne ne pouvait entrer, les fenêtres étaient barrées et la porte verrouillée.

Mais ni portes ni fenêtres ne pouvaient empêcher les petites souris d'entrer. Elles allaient partout à leur gré dans toute la

ville de Gloucester sans jamais avoir besoin de clés.

Dans les rues enneigées, les habitants de Gloucester faisaient leurs courses et achetaient des dindes et des oies pour le réveillon de Noël. Mais pour Simon et le vieux tailleur, il n'y aurait pas de réveillon.

Le tailleur resta malade pendant trois jours et trois nuits. Puis vint la veille de Noël. La lune s'éleva dans le ciel noir. Il n'y avait plus aucune lumière aux fenêtres, plus aucun bruit dans les maisons. Toute la ville dormait profondément sous la neige.

Quant à Simon, il réclamait toujours ses souris, miaulant près du lit de son maître.

Tout le monde sait que les animaux ont

la faculté de parler une fois l'an, dans la nuit qui précède Noël, bien qu'il y ait très peu de gens qui puissent les entendre ou comprendre ce qu'ils disent.

Ainsi quand l'horloge de la cathédrale eut sonné les douze coups de minuit, il y eut comme un écho à son carillon. Simon l'entendit et sortit de la maison, malgré la neige.

De tous les toits, de toutes les maisons de la ville lui parvinrent alors des milliers de voix qui chantaient de vieux chants de Noël.

Les coqs furent les premiers à chanter :

Debout Mesdames,
il est temps de préparer vos gâteaux !

« Oh, mon dieu, mon dieu », soupirait Simon.

Dans un grenier brillaient des lumières
et l'on entendait les échos d'une musique
de danse. Des chats apparurent sur le toit.

Et hop ! Dansons, dansons,
Les chats et les violons !

« Tous les chats de la ville s'amusent
sauf moi », gémit Simon.

Sur les gouttières, les moineaux et les
sansonnets chantaient. Les corneilles
s'éveillaient dans la tour de la cathédrale.
Et bien qu'on fût en pleine nuit, les
grives et les rouges-gorges se mettaient à
chanter aussi. Par toute la ville on entendait des cantiques et des airs de musique.

Mais pour le pauvre Simon, de plus en

plus affamé, toute cette joie était bien pénible à entendre.

Il était particulièrement agacé par certaines petites voix aiguës qui appartenaient probablement à des chauves-souris. Elles ont toujours la voix haut perchée, surtout quand il fait froid.

Simon les entendait prononcer des paroles mystérieuses :

> Bzz, dit la mouche bleue,
> hummmm, répond l'abeille,
> Bzzz, hummmm disent-elles
> et nous disons pareil.

Le chat du tailleur s'éloigna en secouant ses oreilles comme s'il avait eu une abeille dans la tête.

Lorsqu'il vint à passer devant l'échoppe de son maître, Simon vit un rayon de

lumière. Intrigué, il s'approcha silencieusement et regarda par la fenêtre. Dans tout l'atelier, des chandelles avaient été allumées. On entendait des bruits ténus de ciseaux et d'aiguilles et des voix de souris qui chantaient haut et gai :

Vingt-quatre tailleurs costauds
Avaient pris un escargot,
Mais le plus fort d'entre eux
N'osa pas lui toucher la queue,
Car il sortait ses cornes, mon vieux
Comme un taureau furieux.
Courez, tailleurs, courez,
Il va vous attraper !

Leur chanson à peine terminée, les petites souris en chantèrent une nouvelle.

> Passe au crible la farine
> Pour qu'elle soit bien fine.
> Mets-la dans un marron
> Et ajoute un oignon...

« Miaou, miaou ! »

Simon les interrompit de ses miaulements et gratta à la porte. Mais la clé était sous l'oreiller du tailleur et il ne pouvait entrer.

Les petites souris se contentèrent de rire et chantèrent une autre chanson.

> Trois petites souris coupaient, cousaient,
> Elles virent un chat qui les épiait.
> Que faites-vous là ? leur dit le chat,
> Nous faisons un habit d'apparat.
> Puis-je venir pour vous aider ?
> Sûrement pas, vous nous mangeriez.

Simon, dépité, miaulait de plus belle. « Holà, mignon minet ! » s'écrièrent les souris.

> Holà mignon minet,
> Petit chat charmant.
> A Londres les marchands
> S'habillent en rouge vif,
> Col de soie, ourlet d'or,
> Ils sont tous cousus d'or.

Elles frappaient la cadence avec leurs dés à coudre. Simon détestait leurs chansons. Il miaulait et reniflait sous la porte.

> Au marché
> J'ai acheté
> Un pain de mie
> Et un balai
> Un pot de lait
> Et un radis
> Le tout pour trois sous et demi !

Simon grattait le rebord de la fenêtre pour essayer d'entrer. Les souris faisaient des bonds et toutes se mirent à scander, de leurs voix aiguës : « Plus de fil de soie ! Plus de fil de soie ! »

Puis elles fermèrent les volets de la fenêtre au nez de Simon.

Le chat renonça à entrer dans l'échoppe et s'en revint à la maison, l'air pensif. Il y trouva le tailleur qui n'avait plus de fièvre et dormait paisiblement.

Alors Simon, sur la pointe des pieds, alla chercher le petit paquet contenant la bobine de fil de soie rouge cerise qu'il avait dissimulé dans la théière et le contempla à la lueur du clair de lune. Il se sentit honteux d'avoir ainsi caché le fil de soie alors que les petites souris, elles,

avaient travaillé d'arrache-pied pour aider le tailleur.

Lorsque celui-ci s'éveilla, le lendemain matin, la première chose qu'il vit sur son couvre-lit, ce fut la bobine de fil rouge cerise. Simon, tout repentant, se tenait près de son maître.

« Hélas, je suis très fatigué dit le tailleur, mais au moins, j'ai mon fil de soie. »

Le soleil brillait sur la neige lorsque le tailleur se leva et s'habilla. Il sortit dans la rue, précédé de Simon.

Des sansonnets sifflotaient, perchés sur le rebord des cheminées, les rouges-gorges et les grives chantaient, mais c'étaient leurs chants habituels qu'on entendait, pas les cantiques de la nuit précédente.

« Hélas, hélas gémit le tailleur, j'ai le fil de soie, mais j'ai tout juste la force et le temps de coudre une seule boutonnière. Car c'est Noël aujourd'hui. Le maire se marie à midi et son bel habit rouge cerise n'est pas prêt. »

Il ouvrit la porte de son atelier et Simon se rua à l'intérieur. Mais l'échoppe était vide à présent, il n'y avait plus la moindre souris.

L'atelier en revanche avait été nettoyé et il n'y avait plus de bouts de fil ni de chutes de tissu sur le sol.

Et sur la longue table – quel cri de joie poussa le tailleur ! – là où il avait laissé les coupons d'étoffe, reposait maintenant le plus bel habit et le plus élégant gilet de

satin brodé qu'un maire de Gloucester eût jamais portés.

Les revers de l'habit étaient ornés de roses et de pensées et le gilet de coquelicots et de bleuets.

Tout était terminé à l'exception d'une seule boutonnière. Et là où la boutonnière manquait, il y avait un tout petit morceau de papier épinglé qui portait, tracés d'une écriture minuscule, ces quelques mots :

Plus de fil couleur cerise.

Et depuis ce jour, la chance sourit au vieux tailleur. Il retrouva une bonne santé et devint prospère.

Il confectionnait de magnifiques gilets pour les plus riches marchands de

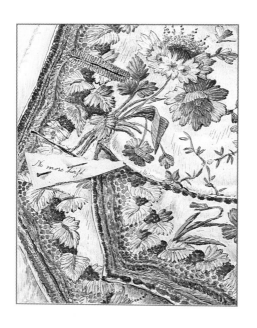

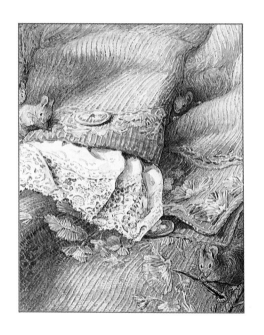

Gloucester et pour les gentilshommes des environs.

On n'avait jamais vu des jabots aussi élégants ni des manchettes aussi joliment brodées. Mais ce qu'il y avait de plus étonnant encore, c'étaient les boutonnières. Elles étaient cousues avec tant d'art qu'on se demandait bien comment un vieil homme aux doigts noueux et portant lunettes pouvait réaliser un tel travail.

Pour tout dire, ces boutonnières étaient si finement brodées qu'il n'aurait pas été surprenant qu'elles aient été faites par des souris.